D0673928

Redactie: Larry Iburg
Omslagontwerp: Erik de Bruin, www.varwigdesign.com
Hengelo
Lay-out: Christine Bruggink, www.varwigdesign.com
Druk: Grafistar, Lichtenvoorde

ISBN 978-90-8660-059-5

Postbus 30227
6803 AE Arnhem
www.ellessy.nl

WWW
TERRA
wij willen weten
Wilfred Hermans
Deel 12
Israël

ELLESSY
JEUGD

Inhoudsopgave

Inleiding

Bijna elke week zie je iets over Israël op televisie. Vaak heeft dat te maken met de ruzie tussen Israëli en Palestijnen. Soms is het even rustig. En soms praten de leiders van beide partijen met elkaar. Maar het geweld kan zomaar weer oplaaien. Er lijkt aan de oorlog geen einde te komen...

In dit boekje kun je meer lezen over deze oorlog, en hoe die eigenlijk begonnen is. Maar het gaat ook over het weer in Israël, het jodendom met alle feesten die daarbij horen en belangrijke plaatsen zoals de hoofdstad Jeruzalem. Aan het eind staat een verhaal van iemand die zelf in Israël is geweest. Wat vond hij van het land?
Ik hoop dat je na het lezen van dit boekje iets meer weet over Israël. Als je straks weer iets over Israël op het nieuws ziet, weet je vast wel iets beter waar het over gaat.

Veel plezier met het lezen van dit boekje!
Wilfred Hermans

1. Het land Israël

1.1 Even kennismaken

Het kleine land Israël ligt in het Midden-Oosten. Het Midden-Oosten is het gebied rond het kruispunt van de drie werelddelen Europa, Azië en Afrika.
Pak je atlas er maar eens bij. Als je een kaart gevonden hebt waar de hele aarde op staat afgebeeld, dan zie je Israël ongeveer in het midden liggen. En op elke kaart van de werelddelen Europa, Azië en Afrika is Israël te zien.

Israël is qua oppervlakte ongeveer de helft zo groot als Nederland. Het land is 412 kilometer lang (van noord naar zuid). Het breedste gedeelte is 130 kilometer (van oost naar west), het smalste gedeelte van oost naar west is ongeveer 25 kilometer.
De landen die aan Israël grenzen zijn (vanuit het noorden gezien, en dan met de klok mee): Libanon, Syrië, Jordanië en Egypte. In het westen van het land ligt de Middellandse Zee.
De hoofdstad van Israël is Jeruzalem.

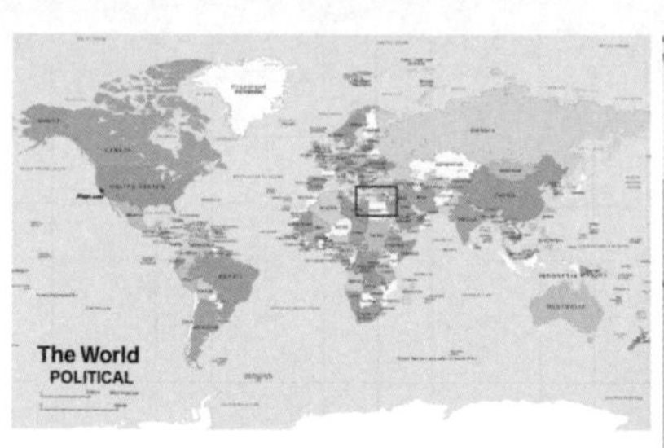

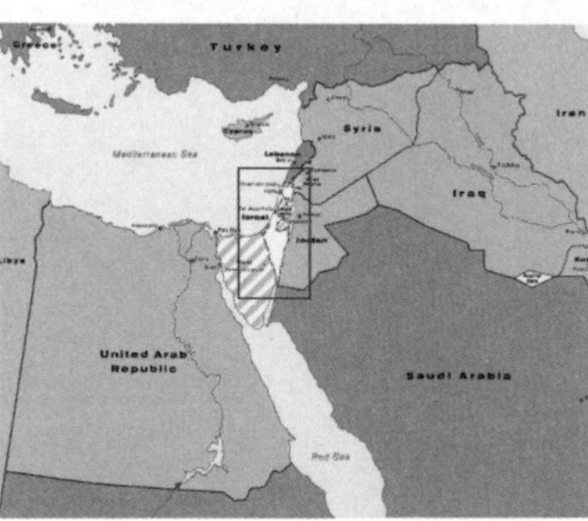

Israel
International boundary
District (meḩoz) boundary
National capital
District (meḩoz) center
Railroad
Divided highway
Other road
0 40 Kilometers
0 40 Miles
The 1950 Israeli proclamation that Jerusalem be the national capital is not recognized by the United States Government.
Mediterranean Sea
SYRIA
JORDAN
EGYPT
SINAI
UNDOF Zone
GOLAN HEIGHTS (Israeli occupied)
WEST BANK (Israeli occupied-status to be determined)
GAZA STRIP (Israeli occupied-status to be determined)
1950 Armistice Line
1949 Armistice Line
1967 Cease Fire Line
NORTHERN
HAIFA
CENTRAL
TEL AVIV
JERUSALEM
SOUTHERN
NEGEV
Marji'yūn
Tyre
Qiryat Shemona
Al Qunayţirah
Nahariyya
'Akko
Haifa
Tiberias
Lake Tiberias
Nazareth
Dar'ā
Irbid
As Suwaydā
Buşrá ash Shām
Ḩadera
Janin
Netanya
Tūlkarm
Al Mafraq
Jarash
Herzliyya
Nabulus
Tel Aviv-Yafo
Az Zarqā'
Bat Yam
Rām Allāh
Amman
Reḩovot
Ramla
Jericho
Ashdod
Jerusalem
Mādabā
Ashqelon
Bethlehem
Qiryat Gat
Gaza
Dead Sea
Hebron
Khān Yūnus
Beersheba
Al Qaţrānah
Al 'Arīsh
Al Karak
Dimona
Zefa'
Aş Şafi
Bi'r Lahfān
Abū 'Ujaylah
Zin
'Ayn al Quşaymah
Mizpe Ramon
Bi'r Ḩasanah
Al Jafr
Ma'ān
Al Kuntillah
Ra's an Naqb
An Nakhl
Yotvata
Elat

Israël

1.2 Het landschap en de natuur

Israël is een smal en langgerekt land. In het westen ligt Israël aan zee. Het gedeelte van het land dat aan de kust ligt noemen we de kustvlakte. Hier is het land vrij groen vanwege de bomen die hier goed kunnen groeien.
Naast de kustvlakte ligt van het noorden naar het zuiden het bergland. De bergen hebben een hoogte tussen de 700 en 1200 meter. De hoogste bergen zijn de Hare Meron (1208 meter) en de Ramon (1035 meter).
In het oosten van het land, naast het bergland, stroomt van noord naar zuid de rivier de Jordaan. In het zuiden komt de Jordaan uit in de Dode Zee. Deze zee is een binnenmeer en ligt 394 meter beneden de zeespiegel; het is zelfs het laagste punt van de wereld! Waaraan dankt de Dode Zee zijn naam? Het water in de dode zee is zo ontzettend zout, dat er geen vissen en bijna geen planten in leven kunnen blijven. De zee wordt zelfs door de jaren heen zouter en zouter.

Zoals je ziet kun je in de Dode Zee liggen en je sudoku maken.

Doordat het zo zout is, blijven mensen er in drijven. Omdat dat zo'n grappig gezicht is, maken de meeste mensen die dat meegemaakt hebben er wel een paar foto's van. Het zoute water van deze zee staat er ook bekend om dat het wondjes aan je lichaam sneller doet genezen.

In het noorden stroomt de Jordaan via het Meer van Galilea. De Jordaan is voor een deel precies de grens met het land Jordanië dat rechts, ten oosten van Israël ligt.
De onderste helft van het land (het zuiden) is de Negev-woestijn. Deze woestijn is een hoogvlakte, omdat het 300 tot 600 meter boven de zeespiegel ligt.
Het landschap van de woestijn is rotsachtig, droog en onvruchtbaar. Dat betekent dat er weinig planten kunnen groeien. Heel soms regent het er. Soms een keer in het voorjaar en soms een keer in het najaar. Dan kan er plotseling toch een bloemenpracht ontstaan in de woestijn, maar omdat het daarna weer erg droog wordt, gaan ze ook snel weer dood.

De Negev-woestijn.

1.3 Het weer

Juist omdat Israël zo'n klein land is, valt het op dat het klimaat in dit land zo verschillend is. Besneeuwde bergtoppen tot en met woestijngrond, op zo'n klein stukje aarde! Het land heeft twee seizoenen: een zachte, vochtige winter en een hete, droge zomer. De lente en herfst duren er maar kort. In het bergland liggen de temperaturen lager dan in de rest van het land. In het noorden kan het vrij veel regenen, in het zuiden juist weinig. Aan de kust heb je wel wat verkoeling in de zomer, in het zuiden is het bloedheet. In de zomer is de gemiddelde temperatuur aan de kust ongeveer 29° C. terwijl deze in het Jordaandal 39° C. is. In de zomer regent het niet. Maar doordat het 's nachts afkoelt, verdampt er wat water van de zee, waardoor de lucht vochtig wordt. De wind die vanaf de Middellandse Zee over het land waait, brengt deze vochtige lucht mee. Erg vochtige lucht heet mist. Als 's morgens vroeg de temperatuur stijgt, verandert de mist weer in waterdruppels. Die liggen op de bladeren van de planten en bomen; dit noemen we dauw. Het hele land (behalve de woestijn) gebruikt dit water, zodat de planten en bomen blijven leven zonder dat het regent.
Vooral in de maanden april en mei is er iets bijzonders aan de hand met het weer. De wind komt dan niet vanaf de Middellandse Zee (dus vanuit het westen) maar vanaf de Arabische Woestijnen (dus vanuit het oosten). Deze wind wordt de 'Sarab' genoemd. De Sarab wordt gezien als de scheiding tussen de winter en de zomer. Deze wind duurt drie tot zeven dagen en is heet. De lucht is dan abnormaal droog en de temperatuur stijgt flink (tot boven de 40° C.). De lucht hangt dan vol met fijn stof, zodat de zon bijna niet te zien is. Omdat de lucht zo droog is krijgen mensen klachten: hoofdpijn, slapeloosheid en bewegen/werken is dan zwaar. Het lijkt dan wel alsof je in een oven leeft. Als de wind gaat draaien en weer vanuit de zee komt, wordt de lucht weer helder. De mensen halen dan opgelucht adem.

2. Inwoners

2.1 Op een rijtje

**Negen van de tien mensen in Israël (92%) woont in de grote steden. Vooral in Jeruzalem, Haifa en Tel Aviv.
De inwoners van Israël kunnen we onderverdelen in diverse groepen mensen waarvan twee de grootste zijn: De Joden (zij spreken Hebreeuws) en de Palestijnen (zij spreken Arabisch). 80% van de bevolking spreekt Hebreeuws en 20% Arabisch. Het moderne Hebreeuws wordt 'Ivriet' genoemd. In het Ivriet heet het land Yisrael.
Niet alle Arabisch-sprekende mensen zijn Palestijn. Zij zijn in de minderheid. Sommige van hen zitten ook in de Israëlische regering.
Hieronder vind je een aantal cijfers over de bevolking.**

Schatting eind 2004:	6.869.500
Verhouding seksen (2004):	
• Vrouwen:	3.477.000
• Mannen:	3.392.600
Geboortecijfer (2004):	21,3 geboorten per 1000 inwoners
Sterftecijfer (2004):	5,5 overlijdens per 1000 inwoners
Leeftijdsstructuur (2004):	
• 0-18 jaar:	35%
• 19-64 jaar:	55,1%
• 65 jaar en ouder:	9,9%
Kindersterfte (2004):	4,5 overlijdens per 1000 levend geborenen
Levensverwachting (2003):	
• Vrouwen:	81,8 jaar
• Mannen:	77,6 jaar
Vruchtbaarheidscijfer (2004):	2,9 geboren kinderen per vrouw

(bron: CIDI)

In het grootste gedeelte van het land wonen Joden en Palestijnen door elkaar. Beide groepen hebben wel een eigen deel van het land gekregen waarover ze mogen regeren. De West Bank en de Gazastrook (gearceerd gebied) is van de Palestijnen, de rest van het land (gele kleur) is van de Joden. In hoofdstuk 4 lees je dat dat niet altijd zo geweest is.

Zoals wij met euro's betalen, zo betalen ze in Israël met 'sjekel's'. Het woord sjekel betekent in het Hebreeuws 'gewicht'. In 1970 besloot het Israëlische parlement, de 'Knesset' (hierover kun je meer lezen in hoofdstuk 3) dat de mensen in Israël voortaan met sjekels moesten gaan betalen. In 1985 werd de Israëlische sjekel vervangen door de Nieuwe Israëlische Sjekel (NIS). Zo'n sjekel is verdeeld in honderd delen die 'agorot' heten.

2.2 Religies

Omdat Israël op het kruispunt van drie werelddelen ligt, reisden de mensen al heel vroeger door dit land om van het ene werelddeel naar het andere te komen. In dit land ontstonden drie religies (godsdiensten): het jodendom, het christendom en de islam. Voor de joden is Israël het land van de Bijbel, omdat veel verhalen uit de Bijbel zich afspelen in Israël. Voor de christenen is Israël het land van de Bijbel en bovendien het land waar Jezus geboren is en leefde. De moslims geloven dat hun profeet Mohammed vanuit Israël naar de hemel opgestegen is.

Joods:	76,24%
Moslim:	16,11%
Christenen:	2,1%, waarvan 0,4% niet-Arabisch
Overig:	5,55%

(bron: CIDI)

De meeste Joden noemen zichzelf seculier; dit betekent dat ze weinig of niets doen met het Joodse geloof. De gelovige Joden geloven in God en in het verbond (de afspraak) die God sloot met het volk Israël.

2.3 De Thora

Elk jaar lezen de Joden de 'Thora'. Dat zijn de eerste vijf boeken van de Bijbel (Genesis, Exodus, Leviticus, Numeri en Deuteronomium). Deze boeken worden ook wel de boeken van Mozes genoemd, omdat hij ze heeft geschreven. Thora is Hebreeuws voor 'leren' of 'onderwijzen', en een heel bekend gedeelte uit de Thora is dan ook de tien geboden.
De Thora bestaat uit veertig vellen perkament. Dat perkament is gemaakt van de huid van een dier. Deze worden aan elkaar genaaid en aan twee houten handvatten vastgemaakt. De Thora wordt met de hand geschreven, met de veer van een vogel. Het duurt een heel jaar! Bij het schrijven mogen geen fouten worden

gemaakt. Als dat toch gebeurt, krassen ze de fout weg met een mes. Maar als ze één van de namen van God verkeerd schrijven, mag dit niet worden weg gekrast. Dat stuk perkament vervangen ze.
Omdat Thorarollen heel kostbaar zijn, vind je ze vooral in de synagoge. Daar lezen ze tijdens de diensten al zingend uit de Thora voor.

2.4 De synagoge

Al eeuwenlang komen Joden samen in de synagoge. De Hebreeuwse naam voor synagoge is 'Bet ha-knesset' ofwel 'huis van ontmoeting'. Nederlandse Joden noemen de synagoge 'sjoel', naar het Duitse woord 'Schule' (school). In het jodendom is het namelijk heel belangrijk om veel uit de Thora te leren: Joden lezen samen een stukje, stellen daar vragen bij en proberen daarop een antwoord te vinden. De Thora is in het Hebreeuws geschreven, en daarom krijgen Joodse kinderen al vanaf hun vierde jaar les in het Hebreeuws.
In de synagoge doen Joden drie dingen: ze bidden, ze vieren er feest (bijvoorbeeld vanwege een belangrijk moment in het leven van een Jood) en ze leren uit de Thora en andere Joodse boeken. Een rabbijn leidt de diensten en legt de Thora uit. De voorzanger ('chazan') zingt de gebeden op een speciale manier en geeft les aan Joodse kinderen.

2.5 Voorwerpen

Joodse mensen bidden drie keer per dag: het ochtendgebed, het middaggebed en het avondgebed. Tijdens het bidden dragen ze gebedsriemen, een gebedsmantel en een keppeltje.
Joden maken bij het uitoefenen van hun geloof veel gebruik van allerlei voorwerpen. Orthodox-joodse mannen ('orthodox' bete-

kent dat zij zich houden aan de wetten in de Thora – hun heilige boek) kun je bijvoorbeeld herkennen aan hun keppeltje. Zelf noemen ze dit een 'Kipa'. Het is een klein petje dat Joodse mannen bij alle godsdienstige handelingen achterop hun hoofd dragen. Een Jood bedekt hiermee zijn hoogste punt, namelijk de kruin op zijn hoofd. Hiermee laat hij zien dat hij gehoorzaam is aan iemand die boven hem staat: God. Het dragen van een keppeltje heeft te maken met een joodse regel dat je van buiten laat zien wat je van binnen gelooft. Daarom dragen alle orthodoxe joden iets op hun hoofd: de mannen een hoed, een keppeltje of een gebedsmantel en de vrouwen een pruik, een sluier of een hoofddoek. Zo laten ze zien dat God boven hen staat.
Joden hebben een aparte kalender (hierover kun je meer lezen in hoofdstuk 6.4). Tijdens het Joods Nieuwjaar blazen ze op de 'sjofar'. Dat is een ramshoorn die hol is gemaakt en waar een gat in is geboord zodat je erop kunt blazen.
Een ander voorwerp is een 'Jad'. Dat is een soort aanwijsstok met aan het uiteinde een hand ('Jad') met een wijzend vingertje. Deze

Een Kipa.

aanwijsstok gebruiken Joden als ze uit de Thora lezen. Op die manier wordt de rol niet vies, maar vooral raken zo hun vingers de naam van God niet aan. Dat is belangrijk, want voor Joden is de naam van God heilig! Ze mogen Gods naam ook niet uitspreken, want in de Bijbel staat dat je Gods naam niet oneerbiedig mag gebruiken. Daarom doen ze het voor de zekerheid gewoon helemaal niet. Ze noemen God bijvoorbeeld 'de Almachtige', of 'de Eeuwige'.
Tijdens het bidden dragen Joodse mannen een gebedsmantel. Zo'n mantel is wit en heeft zwarte of blauwe strepen. De mantel laat zien dat God om hen heen is.
Joden maken de woorden van God letterlijk vast aan hun lichaam, met gebedsriemen. Dat zijn dunne zwarte riemen met daaraan een zwart doosje. In dat doosje zit een stukje perkament (een soort papier) waarop een stukje uit de Bijbel staat geschreven. Het ene doosje binden ze vast op hun voorhoofd; daarmee laten Joden zien dat ze altijd aan de Bijbel willen denken. Het andere doosje maken ze vast aan hun linker bovenarm, om te laten zien dat ze ook echt willen dóen wat er in de Bijbel staat. Waarom op de linkerarm en niet op de rechter? Omdat links je hart zit. Joden willen met hun hele hart God dienen.
Tot slot hangt er bij veel Joden aan de rechterdeurpost een kokertje. Daarin zit ook weer een stuk perkament met een bijbelgedeelte. Dit kokertje – de 'mezoeza' – herinnert Joden eraan om God te dienen. Op elke mezoeza staat de Hebreeuwse letter 'sjin'. Dat is de afkorting van 'Sjaddai', zoals Joden God soms noemen.

2.6 Koosjer

De Joodse wetten noemen voedingsmiddelen koosjer (toegelaten) of niet-koosjer (niet toegelaten). Streng-orthodoxe Joden kopen voor de zekerheid alleen producten met een bewijs erop dat het koosjer is.
Hiernaast staan de belangrijkste regels.

Planten:
Al het plantaardige voedsel is koosjer; als er maar geen insecten in bijvoorbeeld een krop sla zitten, want insecten zijn niet koosjer.

Bloed:
Bloed eten is streng verboden. Zelfs eieren met kleine bloedvlekjes mogen Joden niet eten. Vlees eten mag wel, als de dieren tenminste koosjer zijn geslacht. Na het slachten wordt het vlees in lauw water ondergedompeld en met zout bedekt om het laatste bloed uit het vlees te halen. Na een uur wordt het zout weggespoeld met koud water. Het vlees mag nu worden verkocht.

Diersoorten:
Alleen het vlees van herkauwers met een gespleten hoef is koosjer. Joden mogen geen roofvogels eten; kip, kalkoen en ganzen zijn wel toegestaan. Alleen vissen met vinnen en schubben die gemakkelijk te verwijderen zijn, zijn koosjer. Insecten en kruipende dieren zijn absoluut verboden.

Melk en vlees:
Melk- en vleesproducten moeten altijd gescheiden blijven. In het boek Exodus van de Bijbel staat: “Gij zult het bokje niet koken in de melk van de moeder”. Joden zeggen daarom dat je melk en vlees elkaar niet mag raken, zowel bij het eten als tijdens het klaarmaken ervan. Een koosjere keuken bestaat daarom meestal uit twee delen.

3. Politiek

Israël is een 'democratie'. Dat betekent dat de leden van het parlement gekozen zijn door het volk. Het parlement van Israël wordt de 'Knesset' genoemd. De Knesset bestaat nu uit twaalf politieke partijen en heeft 120 leden. De Knesset wordt gekozen door het volk bij de algemene verkiezingen. Alle inwoners (staatsburgers) van achttien jaar en ouder mogen stemmen tijdens de verkiezingen.

De Knesset kiest één keer per zeven jaar de 'president' (hoofd van de staat Israël). Shimon Peres is in 2007 gekozen als President van Israël.

De president geeft aan de grootste politieke partij de opdracht om een 'regering' te vormen. De regering moet het land leiden, regeren. De Knesset controleert of de regering dit goed doet. Eén lid van de regering is 'premier' (het hoofd van de regering). In 2006 werd Ehud Olmert premier.
De mensen van de Knesset en de regering zijn Joden en Arabieren. Deze Arabieren horen niet bij de Palestijnen.

3.1 Bekende Israëlische politici

David Ben-Gurion

David Ben-Gurion (geboren op 16 oktober 1886 en overleden op 1 december 1973) riep op 14 mei 1948 de onafhankelijkheid uit van de staat Israël. Hij werd daarna de eerste premier van Israël. Binnen 24 uur na het ontstaan van de staat Israël vielen de Arabische buurlanden het land binnen. Ben-Gurion moest gelijk zijn eerste oorlog vechten met de onafhankelijke staat Israël.
David Ben-Gurion werd geboren met een andere naam: David

Shimon Peres.
President.

Ehud Olmert.
Premier.

Grün. In 1906 verhuisde hij naar Palestina om daar als journalist te werken. Toen hij daar later de politiek in ging, liet hij zijn naam veranderen in het Hebreeuwse David Ben-Gurion ('Zoon van een jonge leeuw'). Ben Gurion was premier van Israël in de periode van 1948 tot 1953, en van 1955 tot 1963. Het belangrijke Engelse tijdschrift 'Time Magazine' vond Ben Gurion één van de honderd mensen die het meest belangrijk zijn geweest voor de twintigste eeuw.

Golda Meir

Golda Meir was de vierde premier van Israël. Tussen 1969 en 1974 leidde ze het land. Golda Meir werd in 1898 als Golda Mabovitz geboren in Kiev. Ze wordt ook wel 'De IJzeren Dame' genoemd, en in de Arabische wereld noemt men haar 'De Oude Dame'. In 1921 verhuisde ze van de Verenigde Staten naar Palestina, waar ze actief werd in de politiek. In 1948 koos David Ben-Gurion haar om lid te worden van de tijdelijke regering. Ze werd daarna lid van de Knesset. In 1956 nam ze de Hebreeuwse

Golda Meir.

naam ‘Meir’ aan, die ‘helder schijnen’ betekent. In 1969 overleed Levi Eskjol, de voorganger van Golda Meir, plotseling. Zo kon de dan 71-jarige Golda Meir de derde vrouwelijke premier ter wereld worden - na een vrouwelijke premier in India en Sri Lanka.
Golda Meir was een geliefd politicus. Op 6 oktober 1973 – het begin van de Yom Kippoer-oorlog – vond er een plotselinge aanval op Israël plaats van Egypte en Syrië. Men vond dat Golda Meir dit had kunnen zien aankomen, en daarom moest ze in 1974 aftreden. Yitzhak Rabin volgde haar op. Golda Meir overleed in december 1978. Men begroef haar op Mount Herzl in Jeruzalem.

Yitzhak Rabin

Yitzhak Rabin, de vijfde premier van Israël, werd in 1922 geboren in Jeruzalem en overleed in 1995 in Tel Aviv. Hij was premier van 1974 (als opvolger van Golda Meir en met Shimon Peres als verliezende tegenstander) tot 1977 en later van 1992 tot 1995. In dat jaar werd hij ook vermoord. Naast politicus was hij militair; men noemde hem een ‘meesterlijk strateeg’, dus iemand die weet hoe je een leger moet besturen.
Rabin zette zich in voor betere contacten met Palestina, wat onder andere blijkt uit de Oslo-akkoorden van 1994: een lijst met punten om de ruzie met de Palestijnen op te lossen. Niet iedereen in Israël was daar blij mee. Sommigen noemden Rabin landverrader, en vonden dat hij het voortbestaan van de staat Israël in gevaar bracht. Zo ook de Israëliër Yigal Amir. Hij schoot tijdens een vre-

desdemonstratie op 4 november 1995 in Tel Aviv premier Rabin dood.

Shimon Peres

Shimon Peres was de negende premier van Israël: van 1984 tot 1986 en van 1995 tot 1996. in 1934 vertrok hij met zijn ouders naar Tel Aviv. Hij kreeg in 1994 samen met Yitzhak Rabin en Yasser Arafat (een belangrijke leider van de Palestijnen die in 2004 overleed) de Nobelprijs voor de Vrede, omdat hij mee had gewerkt aan de Oslo-akkoorden.

Menachem Begin

Menachem Wolfovitch Begin zag op 16 augustus 1913 het levenslicht in het Russische Brest. Hij was een Israëlisch politicus en de zesde premier van Israël.
Menachem Begin werd in 1947 de leider van de 'Irgoen Tsewa'i Leoemi', wat Hebreeuws is voor 'Nationale Legerorganisatie' en wordt afgekort als 'Etsel'. Men houdt Begin verantwoordelijk voor de terroristische bomaanslag op het Koning David Hotel in Jeruzalem in 1946. Daar was op dat moment het Britse militaire hoofdkwartier gevestigd, en bij de aanslag kwamen 91 mensen om het leven.
Begin is vooral bekend vanwege de Camp-David-akkoorden die hij in 1971 tekende met de Egyptische president Anwar Sadat. In deze akkoorden stond dat Egypte de staat Israël erkent; in ruil daarvoor kreeg Egypte de Sinaïwoestijn terug. Beide akkoorden leverden in 1978 de Nobelprijs voor de Vrede op, maar in 1981 moest president Sadat van Egypte de erkenning van Israël wél met zijn leven bekopen.
In augustus 1983 trok Begin zich terug uit de politiek. Hij was teleurgesteld door de vele gevechten die onder zijn bewind hadden plaatsgevonden, door de dood van zijn vrouw en door zijn eigen ziekte.
Menachem Begin overleed op 9 maart 1992, in Jeruzalem.

4. Geschiedenis

4.1 De tijd vóór Christus

Archeologen hebben ontdekt dat al ver vóór 3000 voor Christus de oudst bekende stammen van de aarde in Israël woonden. De oudste geschiedenis op papier begint met Abraham. Hij woonde in Mesopotamië en emigreerde omstreeks 1950 voor Christus naar Israël. Israël heette toen nog Kanaän en werd bewoond door de Kanaänieten. De nakomelingen van Abraham groeiden uit tot een groot volk. De kleinzoon van Abraham kreeg de naam Israël. Zijn nakomelingen, de Israëlieten, kregen op een gegeven moment een groot deel van het land in bezit. Zo is de naam Israël ontstaan. Omdat het volk natuurlijk zo groot was geworden, werden de Israëlieten opgedeeld in twaalf stammen, genoemd naar de twaalf kinderen van Israël.

In 722 voor Christus werden tien van de twaalf stammen door de Assyriërs in ballingschap (als gevangenen) weggevoerd naar Assyrië (dat is de plek waar nu Irak ligt). Buitenlanders uit de landen rondom Israël kwamen nu op de plek van de tien stammen wonen.
Er bleven dus nog maar twee stammen over in het land: Juda en Benjamin. Ze kregen één naam: Juda. De mensen van Juda werden Joden genoemd. Ze bewoonden het deel van het land boven de woestijn, en ook Jeruzalem was van de Joden.

4.2 Het jaar 0 (begin van onze jaartelling)

Rond deze tijd waren de Romeinen bezig om zoveel mogelijk landen van Europa te veroveren. Op een gegeven moment kwamen

Abraham emigreerde vanuit Mesopotamië naar Israël. Hiernaast staat hij met zijn zoon Isaäc.

ze zover dat ze ook de baas werden in Israël.
In deze tijd is Jezus geboren. In de heilige boeken van de Joden stond geschreven dat er een keer een jongetje geboren zou worden, die de Zoon van God genoemd zou worden. In de Bijbel staat dat Maria, de moeder van Jezus een engel op bezoek heeft gekregen die haar vertelde dat ze zwanger was en dat haar zoon 'Zoon van God' zou zijn. De Joden kunnen niet geloven dat Jezus echt de Zoon van God was. Zij denken dat Hij nog steeds geboren moet worden. De christenen geloven wel dat Hij de Zoon van God was. De geschiedenis van Jezus staat in de Bijbel. Daarom zijn veel plaatsen waar Jezus geweest is nog steeds belangrijke plaatsen in Israël.

4.3 Overheersing door de Romeinen

Palestijnen en Joden wonen al duizenden jaren in Israël. De Palestijnen zeggen dat ze afstammen van de Filistijnen, de Joden stammen af van de Israëlieten. Beide volken hebben heilige plaatsen in Israël, dus ze willen er ook allebei graag blijven wonen.
Ongeveer drieduizend jaar geleden werden de Filistijnen door de Joden verslagen. Duizend jaar later vallen de Romeinen het land binnen. Ze jagen heel veel Joden weg. De Joden komen daardoor overal ter wereld terecht. Sommige Joden blijven in Palestina wonen, samen met de Filistijnen. De Palestijnen noemen zich afstammelingen van die grote groep Filistijnen. Daardoor vinden ze dat ze recht hebben op het land Palestina. Maar niet iedereen is het erover eens dat de Palestijnen van de Filistijnen zouden afstammen, en dus recht zouden hebben op het land.
Ook al zeggen de Palestijnen dat ze altijd in het land gewoond hebben, ze zijn daar niet de baas. Na de Eerste Wereldoorlog (1914-1918) krijgen de Engelsen de macht in Palestina. Zij beloven zowel aan Israël als aan de Palestijnen dat ze een eigen land zullen krijgen, allebei in Palestina! In 1921 geeft Engeland de Palestijnen inderdaad een eigen land; dat heet nu Jordanië. Toch zijn veel Palestijnen daar niet blij mee, want ze willen dat Palestina hun nieuwe land wordt. Daar zijn allemaal heilige plaatsen voor moslims. De Joden zijn ook niet blij, want zij krijgen géén eigen land van de Engelsen.
Ondertussen krijgen de Joden die weggejaagd zijn het in andere landen heel moeilijk. Ze worden veel gepest. Hoe erg ze gediscrimeerd werden, hebben ze pijnlijk moeten ervaren voor en tijdens de Tweede Wereldoorlog.

4.4 Holocaust en Tweede Wereldoorlog (1933-1945)

In 1933 kwam Hitler in Duitsland aan de macht. Hij had samen met zijn aanhangers hele agressieve plannen: Duitsland en het

De Jodenster moest op de jas genaaid worden.

Duitse volk waren belangrijk. Zo belangrijk, dat ze moesten heersen over de minderwaardige volken. En de Joden die in Duitsland (en ook in andere landen in Europa) woonden, moesten volgens hem worden uitgeroeid, vermoord! Joden waren volgens hem helemaal niets waard; het waren eigenlijk geen mensen, maar 'honden'. Hitler had veel macht en veel aanhangers. Hij begon met het verbieden van Joodse winkels. Alle bestaande Joodse winkels moesten worden gesloten. De Joodse kinderen mochten niet langer naar school. Het werd voor Joodse mensen verboden om naar een sportvereniging, theater, bioscoop e.d. te gaan. Ze kregen daarom een grote 'J' in hun paspoort en ze moesten op hun jas een Jodenster naaien, zodat iedereen kon zien dat ze Jood waren. Zo werd het voor de Duitsers gemakkelijker om de Joden te verbieden ergens naar binnen te gaan. Zijn plannen zijn voor een groot gedeelte gelukt: hij voerde oorlog met andere landen en bouwde concentratiekampen/gevangenkampen. Eerst werden daar mensen in opgesloten die in Hitlers ogen minderwaardig waren,zoals werklozen, mensen met een psychische stoornis, zigeuners en gehandicapte mensen. Al gauw besloot hij dat de Joden ook in dit rijtje thuis hoorden. Miljoenen mensen zijn gestorven in die concentratiekampen. Niet alle Joden zijn vermoord in de gaskamers; velen zijn omgekomen door massa-executies, ziekte, honger, uitputting of het verrichten van slavenarbeid. Deze verdrietige geschiedenis noemen we de 'Holocaust', dat is het Griekse woord voor 'volledige verbranding'. Anne Frank was een Joods meisje dat in Amsterdam ondergedoken zat in de Tweede Wereldoorlog. Ze heeft een dagboek geschreven dat je in de bibliotheek kunt lenen: 'Dagboek van Anne Frank'. De Duitsers hebben hun schuilplaats in Amsterdam ontdekt en Anne en haar familie werden weggevoerd naar een concentratiekamp. Daar is zij overleden.

4.5 'De oprichting van de staat Israël' (1948)

De VN (Verenigde Naties) is een soort club van allerlei landen in de wereld die met elkaar samenwerken. Op die manier proberen de landen samen problemen in de wereld op te lossen, zoals oorlog en armoede. In 1947 heeft de VN een plan goedgekeurd. In dit plan stond op welke manier het land Palestina op een goede manier verdeeld zou kunnen worden in twee staten: een Arabische staat: 'Palestina' en een Joodse staat: 'Israël'. De Joden gingen akkoord met dit plan (alhoewel een bepaalde groep Joodse mensen altijd het hele land zouden willen hebben), maar de Arabieren wilden aan deze verdeling niet meewerken, omdat zij het hele land wilden hebben.

Heel veel mensen in de hele wereld weten precies wat er toen, 15 mei 1948, gebeurde: de staat Israël werd opgericht. Dat deden ze volgens het plan van de VN over de verdeling van het land. Nu konden de Joden die vroeger verdreven waren en in landen over de hele wereld waren verspreid, weer in hun thuisland (Israël) gaan wonen. Vanaf deze datum heet het land niet meer Palestina, maar Israël (net als vroeger). Veel Joden hadden behoefte aan een eigen plek. Helemaal na de verschrikkelijke periode tijdens de Tweede Wereldoorlog. Meteen na de oprichting van de staat Israël werd het land aangevallen door zes Arabische buurlanden. Zij waren tegen de verdeling. Ze wilden niet dat er zoveel Joden in het land Palestina/Israël kwamen wonen. Zo ontstond er direct weer oorlog: aan de ene kant vocht Israël/de Joden, aan de andere kant vochten de Palestijnen en de Arabische landen. Israël won, en kreeg het grootste deel van Palestina. De rest werd door andere landen veroverd: Egypte nam de Gaza-strook in beslag, en Jordanië de Westelijke Jordaanoever. Veel Palestijnen vluchtten het land uit, maar ze waren niet welkom in de Arabische buurlanden. Ze moesten gaan wonen in vluchtelingenkampen. De naam Palestina stond toen niet meer in de atlas.
Maar het bleef ruzie. Israël veroverde de Gaza-strook én de Westelijke Jordaanoever. Dat noemen we sinds die tijd de ´bezette gebieden´. Daar wonen veel Palestijnen, maar de Joden willen die gebieden niet zomaar teruggeven. Ze bouwen er dorpen. Die worden vaak 'Joodse nederzettingen' genoemd, zoals je vast wel eens op televisie hebt gehoord.
De Palestijnen in de bezette gebieden voelen zich onderdrukt. Daarom richtten ze een eigen organisatie op: de PLO. De PLO wil het gebied dat Engeland aan Palestina gaf – toen de staat Israel nog niet bestond – weer terug. Sommige mensen van de PLO willen dit met geweld bereiken. Ze laten bijvoorbeeld op drukke markten of in volle bussen hun bommen ontploffen. Daarbij gaan veel onschuldige burgers en kinderen dood.

5. Belangrijke plaatsen en gebieden

Over de meeste belangrijke plaatsen in het land Israël kun je veel lezen in de Bijbel. De Bijbel is het heilige boek van de christenen. De Bijbel bestaat uit twee gedeelten: het Oude Testament (de Joden noemen dit de 'Tenach') en het Nieuwe Testament. Voor de Joden geldt alleen de Tenach als het heilige boek van God. De christenen geloven dus in de hele Bijbel. In de Bijbel staat bijvoorbeeld de vroege geschiedenis van het land Israël en het Joodse volk beschreven.

5.1 De hoofdstad Jeruzalem

Jeruzalem is heel oud. Al in de 19de eeuw voor Christus wordt de stad genoemd in Egyptische papieren. Jeruzalem is een heilige plaats voor drie godsdiensten: het christendom, het jodendom en de islam. Vaak leefden de mensen met hun verschillende godsdiensten niet in vrede met elkaar. Er is veel strijd geweest en daarbij is Jeruzalem een paar keer volledig verwoest. Dat kun je je niet voorstellen als je weet dat in het Hebreeuws de stad *Yeroushalaïm* heet, dat juist 'stad van vrede' betekent.

In het oude centrum van de stad kun je goed zien dat er mensen met verschillende godsdiensten wonen. Binnen de oude stadsmuren liggen bijvoorbeeld.een christelijke wijk (in het westen), een joods kwartier (in het zuidoosten) en een islamitische wijk (in het noorden).
De opdeling van de stad in wijken bestaat nog niet zo lang. Vanaf 1950 zijn er veel nieuwe wijken buiten de stadsmuren gebouwd. Deze wijken horen bij Jeruzalem.

Het hoogste deel van de oude stad is de berg Sion. Op de top ligt het graf van koning David, de derde koning van Israël (tot ongeveer 972 voor Christus).

In een hoog gedeelte van Jeruzalem staat de 'Heilige Graf Kerk'. Christenen vermoeden dat op de plek waar de kerk gebouwd is Jezus aan het kruis gestorven is. Deze plek heette Golgotha in de tijd van de Bijbel. Voordat Jezus gekruisigd werd, moest Hij nog een heel stuk lopen, met het kruis op Zijn rug. Deze weg heet nu de 'Via Dolorosa'. Het begin van deze weg begint in wat nu het islamitische gedeelte van de stad is.
Op het tempelplein staat nu de islamitische Rotskoepel. De islamieten geloven dat op de rots waarop de koepel gebouwd is, hun profeet Mohammed zijn reis naar de hemel is begonnen. Het is

De klaagmuur en de Rotskoepel in Jeruzalem.

dezelfde rots waar Abraham zijn zoon Izaäk moest offeren (dit hoefde uiteindelijk niet van God; het verhaal staat in de Bijbel). Naast de Rotskoepel staat de 'Al-Aksa moskee'.
Het tempelplein wordt ondersteund door een muur: de Klaagmuur. Dit is een heilige plaats voor de Joden. De muur is heel oud. Herodus de Grote heeft hem laten bouwen rond 30 voor Christus. De Joden bidden bij de Klaagmuur omdat ze daardoor zo dicht mogelijk bij de oude tempel zijn. De Romeinen hebben de oude tempel verwoest in 70 na Christus. Omdat de Joden tijdens het bidden met hun hoofd wiegen, lijkt dat voor buitenstaanders op klagen. De Engelsen noemden de muur daarom Wailing Wall (= Klaagmuur). Het klopt dat de Joden vroeger bij de muur ook klaagden over de verwoesting van de tempel. Ze waren daar heel verdrietig over. Nu is het niet meer zo dat ze alleen klagen. Ze bidden bij de muur hardop of zachtjes en ze schrijven hun gebeden soms op. Ze rollen dat papiertje op en stoppen het in gaten van de muur.
Je merkt wel dat alleen al het tempelplein belangrijk is voor alle drie de godsdiensten.

5.2 Yad Vashem

In Jeruzalem staat het Yad Vashem museum. 'Dit mag nooit, nooit meer gebeuren', zo spraken de mensen na de Tweede Wereldoorlog. Zij richtten het museum op. Dit museum is een gedenkplaats waar de Jodenvervolging in de Tweede Wereldoorlog wordt herdacht. Er staat onder andere een monument voor de slachtoffers van de concentratiekampen. In het museum is het 'Children Memorial' (een plaats om de omgekomen kinderen te herdenken). Er zijn anderhalf miljoen Joodse kinderen omgekomen in de oorlog. Je loopt er door een donkere gang waar kaarsen branden. Doordat de mensen er heel veel kleine spiegeltjes hebben geplaatst zie je de brandende kaarsen in al die spiegeltjes terug. Je ziet duizenden brandende lichtjes. Elk lichtje staat voor een

Yad Vashem museum.

gestorven kind. Waar je ook kijkt, overal zie je de lichtjes. Ondertussen worden één voor één alle namen opgelezen van al die omgekomen kinderen. Het duurt een jaar voordat alle namen genoemd zijn. Je kunt wel voorstellen hoe indrukwekkend dat is. In het museum liggen de archieven van alle omgekomen Joden in de oorlog.
In een Nederlandse krant werd eens geschreven over een Marokkaanse leraar wis- en natuurkunde, Mustapha Daher, die Yad Vashem had bezocht. Hij kwam diep onder de indruk terug uit Jeruzalem:
"Ik vind mezelf een echte kerel, maar ik werd daar overvallen door emoties. Ik moest, net als iedereen die daar rondloopt, de groep verlaten om ergens apart uit te huilen. Je beleeft in Yad Vashem de Holocaust. Je hoort persoonlijke verhalen van slachtoffers en getuigen. Ik accepteer het écht niet meer als een leerling in mijn klas een racistische opmerking maakt."

5.3 Bethlehem

Ten zuiden van Jeruzalem ligt Bethlehem. Hier is Jezus geboren. Daarom staat er nu een Geboortekerk. Je kent het kerstliedje 'De herdertjes lagen bij nachte, ze lagen bij nacht in het veld' misschien wel. Het gaat over de herders die 's nachts als eerste hoorden over de geboorte van Jezus. De velden uit dit liedje liggen ook in Bethlehem. Het is nu een boomgaard met olijfbomen, met een muur er omheen. In het midden is een bedevaartsplaats gebouwd; de Grot van de Herders.

5.4 Tel Aviv

Vanuit Schiphol is het vier uur vliegen naar Tel Aviv. Deze stad is een belangrijke stad van Israël. Het is modern en druk. Het is het economische hart van Israël, omdat daar ook de grote banken staan. Tel Aviv is een heel jonge, Joodse stad. Het ontstond pas in 1909. Tegen Tel Aviv aan ligt Jaffa, een Arabische stad. Al in de Bijbel wordt er gesproken over deze stad, die toen een belangrijke havenstad was. Nu is Haifa de belangrijkste havenstad.

In 1922 woonden er in Tel Aviv 15.000 inwoners, in 1945 waren dat er al 200.000. Nu, in de 21ste eeuw heeft Tel Aviv, samen met Jaffa en het gebied om de steden heen 1,3 miljoen inwoners. Dat is bijna een kwart van alle inwoners van Israël.
Tel Aviv heeft een boulevard waar veel bars, restaurants en terrassen zijn die allemaal uitzicht hebben over de Middellandse Zee. Deze moderne stad lijkt het meest op de steden in het Westen, zoals in Nederland en België.
Jaffa is nog niet zo lang geleden helemaal gerestaureerd. Er zijn veel kunstenaars, en kunstenaars uit andere landen gaan er graag naartoe.

Veiligheidshek of Apartheidsmuur?

5.5 De muur

Israël wil graag voorkomen dat terroristen op Israëlisch gebied komen. Daarom bouwden ze in 2002 een muur van wel 620 kilometer lang. De muur bestaat uit stukken beton, hekken, prikkeldraad, greppels, torens en poorten. Hij loopt dwars door Palestijnse gebieden, waardoor sommige Palestijnse dorpen, families en vrienden van elkaar worden gescheiden. Daar zijn de Palestijnen natuurlijk niet blij mee!

De gebieden vlak bij de muur zijn veiliger geworden, en komen daar bijna geen aanslagen van Palestijnen meer voor. Toch levert de muur ook heel veel extra ruzie op.

Israel zelf noemt de muur een 'veiligheidshek' of 'afscheidingshek', Palestijnen en andere tegenstanders noemen de muur een 'apartheidsmuur'. Op televisie noemen ze de muur meestal de 'Israëlische muur' of 'afscheidingsmuur'.

In 2004 besloot een belangrijke rechtbank in Den Haag dat de muur afgebroken moest worden. Vijftien rechters uit verschillende landen hebben hier maanden over nagedacht. Toch gaat Israël door met het bouwen van de muur.

6. Hoe leven de mensen van Israël?

Een deel van de Joden en Palestijnen lukt het niet om in vrede met elkaar te leven, omdat ze het oneens zijn met de manier waarop het land Israël verdeeld is in 'Joods gebied' en 'Palestijns gebied'. Beide groepen vinden dat ze recht hebben op een groter gebied of zelfs op het hele land. Tot nu toe is het hen niet gelukt om in gesprekken met elkaar zulke afspraken te maken waar ze beide tevreden over zijn. Meestal zetten Palestijnen bomaanslagen en raketaanvallen in om hun onvrede met de hele situatie te uitten.

Het Israëlische leger reageert daarop met aanvallen van hun kant. Er zijn al zoveel mensen omgekomen. In Israël leven veel mensen met angst, en vaak ook haat. Gelukkig geldt dat niet voor iedereen. Soms hopen beide groepen dat door hun geruzie de regering zal opstappen, zodat een nieuwe regering andere besluiten zal nemen.

6.1 Bar en Bat Mitzwa

Voor Joodse jongens is het een mijlpaal als ze dertien jaar worden. Joodse mensen vinden dat een jongen dan volwassen is; hij kan het verschil tussen goed en kwaad zien en zich houden aan de regels uit de Bijbel. Vanaf zijn dertiende jaar heet een jongen Bar ('zoon van') Mitzwa ('het gebod'). Vanaf dan krijgen ze alle rechten en plichten die daarbij horen.
Meisjes zijn een jaartje eerder volwassen, op hun twaalfde. Zij mogen vanaf dat moment voor het eerst zelf de 'shabbat' inwijden. Voor Joden is de shabbat de rustdag, en dat is bij hen de

zaterdag (zoals christenen in Nederland op zondag de rustdag vieren). De shabbat begint al op vrijdagavond. Als het donker is, mogen de Joden stoppen met werken. Net voordat de shabbat begint worden er twee kaarsen aangestoken, meestal door de moeder van het gezin. Ze spreekt daarbij ook een gebed uit. De eerste shabbat nadat een meisje twaalf jaar is geworden, mag het meisje dat doen. Dat is een heel bijzonder moment, en daarom gebeurt het soms bij de rabbijn thuis (zie hoofdstuk 2.4). Vanaf haar derde heet een Joods meisje natuurlijk geen Bar Mitzwa, maar 'Bat Mitzwa', want 'bat' betekent 'dochter'.

6.2 Kibboets

Er zijn meer dan driehonderd kibboetsen in Israël. Een kibboets is een groep mensen die bij elkaar wonen; in sommige kibboetsen wonen wel 900 gezinnen bij elkaar. De eerste kibboets is in 1909 gesticht door Joden die terugkwamen uit Rusland. In Rusland waren ze andere manieren van leven gewend en zo wilden ze dat

Een kibboets (Hebr.: קיבוץ) is een collectieve landbouwnederzetting in Israël.

ook in Israël. In een kibboets is iedereen gelijkwaardig. Het bezit is van iedereen en het werk wordt eerlijk verdeeld.
In de jaren '60 gingen veel jongeren uit West-Europa en de Verenigde Staten werken in de kibboets.

6.3 Onderwijs

Kinderen in Israël hebben minimaal tien jaar onderwijsplicht. Vanaf hun vijfde gaan ze naar school. Eerst een jaar naar de kleuterschool, dan zes jaar naar de basisschool en vervolgens drie jaar naar de middenschool.
Iedereen, zowel jongens als meisjes, gaat vanaf zijn/haar 18de jaar het leger in.
Van de jongeren tussen de 20 en 25 jaar gaat 56% naar de universiteit. Van die groep is iets meer dan de helft vrouw.

6.4 Feesten

Joden kunnen goed feesten. Ze hebben er dan ook heel erg veel. Vaak worden deze feesten op vaste momenten in het jaar gevierd. Vroeger had dit met het leven op het platteland te maken, bijvoorbeeld als er geoogst ging worden.
We pikken uit de lange lijst met feesten er een paar belangrijke uit.

Sjabbat:
Als het donker wordt, begint bij de Joden de volgende dag. Vrijdagavond begint voor hen dus de zaterdag. Dat is voor de Joden een rustdag, zoals dat bij ons de zondag is. De Joden noemen die dag 'Sjabbat', wat 'ophouden' betekent. Die dag werken Joden dus niet, maar ze gaan naar de synagoge.

Grote Verzoendag:
Tien dagen nadat het nieuwe jaar is begonnen, volgt de Grote Verzoendag. In die dagen denken de Joden na of ze nog iets goed moeten maken met andere mensen, bijvoorbeeld een ruzie. Op Grote Verzoendag hopen de Joden vergeving van God te ontvangen voor dingen die ze verkeerd hebben gedaan; het is de belangrijkste dag van het jaar. De hele dag zijn de Joden in de synagoge, en ze mogen die dag niet eten. Aan het einde van de dienst blazen ze op de sjofar. Dan begint een feestelijke maaltijd.

Loofhuttenfeest:
Tijdens het Loofhuttenfeest laten de Joden zien dat ze dankbaar zijn voor de oogst. Ook denken ze dan aan de tijd dat ze in de woestijn leefden (die verhalen kun je in de Bijbel lezen). Toen ze uit Egypte weggingen naar het Beloofde Land, leefden ze veertig jaar in de woestijn. Toen hadden ze geen mooie huizen om in te wonen, dus bouwden ze kleine hutjes: daar was het 's nachts nog een beetje warm, en overdag konden ze daar in de schaduw zitten. Als de Joden in deze tijd het Loofhuttenfeest vieren, bouwen ze een kleine hut ('soeka') waar ze in eten en soms ook slapen. Daarmee laten ze zien dat ze op God vertrouwen, wat er ook gebeurt. Het dak laten ze een beetje open, zodat ze kunnen zien waar God woont.

Pasen:
In het voorjaar vieren de Joden Pasen, of 'Pesach', zoals ze het zelf noemen. Dat feest duurt zeven dagen, en ze eten alleen platte broden waar geen gist in zit. Wij kennen die als matzes. Deze matzes aten de Israëlieten ook toen ze uit Egypte werden bevrijd,

nadat ze daar jarenlang als slaven moesten werken. Ze moesten toen haasten, en daarom was er geen tijd om de broden te laten rijzen.
Tijdens Pasen houden Joden een belangrijke maaltijd. Er staan dan allerlei gerechten op tafel die elk iets vertellen over het zware leven in Egypte. Bijvoorbeeld een schaaltje met zout water, dat wijst op de tranen en het verdriet in Egypte.

Wekenfeest:
Zeven weken na Pasen vieren de Joden het Wekenfeest. De Joden vieren dan dat ze de wetten van God kregen. Dat gebeurde zeven weken nadat de Joden uit Egypte werden bevrijd. Mozes kreeg toen op een berg twee stukken steen waarop de tien geboden stonden.
Op Sjabbat en Joodse feestdagen mogen Joden niet werken, en ook geen andere mensen voor zich laten werken. Ook is het verboden om te schrijven, te reizen, vuur te maken en elektriciteit te gebruiken. Joodse kinderen kunnen dan dus ook niet naar school. Dit zijn de feestdagen waarop Joden rust houden.
- Pesach (= Pasen), de eerste twee en de laatste twee dagen
- Sjavoeot (= Wekenfeest), twee dagen
- Rosj Hasjana (= Joods Nieuwjaar), twee dagen
- Jom Kipoer (= Grote Verzoendag), één dag
- Soekot (= Loofhuttenfeest), twee dagen
- Sjemini Atseret (= Slotfeest), één dag
- Simchat Tora (= Vreugde der Wet), één dag

6.5 Verhalen van Palestijnse mensen

Een kwart van de Palestijnse kinderen onder de 18 jaar is bereid hun eigen leven op te offeren (bijvoorbeeld door een zelfmoordaanslag) als ze daarmee Israël kunnen treffen. Een meneer vertelt: 'Ik begrijp het wel. Wij als Palestijnen zien geen toekomst. Het geweld duurt al zo lang. Israël houdt ons gebied al zo lang bezet. Kinderen denken dat ze een goede daad verrichten door als martelaar te sterven.'

Een 16-jarige Palestijnse jongen pleegde zelfmoord. Zijn moeder kreeg 20 euro. Andere Palestijnen hadden hem beloofd: 'Als je zelfmoord pleegt voor deze goede zaak kom je in de hemel. Daar zijn rivieren van honing en 72 maagden voor jou.'

De 13-jarige Tadeq wordt benaderd door een 16-jarige die werkt voor de 'Martelarenbrigade'. Hij vraagt Tadeq een zelfmoordaanslag te plegen. Tadeq gaat ermee akkoord. Hij krijgt een riem om met explosieven en loopt naar een wegversperring. De Israëlische soldaten zien Tadeq en arresteren hem voordat de explosieven afgaan. De moeder van Tadeq snapt niet waarom hij dit wilde doen. Ze zegt: 'Dit is tegen de wet. Dit willen wij als Palestijnen niet en de Israëliërs willen dit ook niet. Als mensen martelaar willen zijn moeten ze dit zelf weten, maar ze mogen er geen kinderen voor vragen!' De vrienden op school zijn trots op hun vriend Tadeq. Sommigen zeggen: 'Als wij ouder zijn, willen we ook martelaar worden.'

7. Israël in het nieuws

Doordat het tussen de verschillende bevolkingsgroepen zo vaak onrustig is in het land, is Israël vaak in het nieuws.

Veel Palestijnen en Israëlieten kunnen goed met elkaar overweg; zij willen helemaal geen oorlog. Zou het ooit nog vrede in Israël worden? Dat vragen veel mensen zich af, en niemand weet het.

Het lijkt voor journalisten soms best lastig te zijn om objectief te blijven wanneer ze verslag doen van de aanvallen in Israël. Ze staan dan vooral achter één van beide. Dit kun je merken wanneer ze eigenlijk steeds weer de ene groep als slachtoffers beschrijven en de andere groep als daders. Ze geven dan 'gekleurd' nieuws. De werkelijkheid is dat de situatie erg ingewikkeld is. Een eenvoudige oplossing waar beide groepen tevreden mee zijn, bestaat niet. Er is veel wijsheid en voorzichtigheid nodig.

Een oorlog kent alleen maar verliezers.

8. Interview

Meneer De Jong is in oktober 2007 met een aantal andere mensen op vakantie geweest naar Israël. We zijn benieuwd wat hij van het land vond en of hij ook iets gemerkt heeft van de spanningen tussen de verschillende bevolkingsgroepen.

Meneer de Jong, waarom bent u naar Israël gegaan?
"Ik had al gehoord dat het een prachtig land is. Ik houd van geschiedenis en wilde graag met eigen ogen al die historische plaatsen eens bekijken."

Hoe ging de reis?
"Op Schiphol hadden we een hele strenge controle bij het inchecken. We moesten drie uur voordat het vliegtuig zou vertrekken al op Schiphol aanwezig zijn. We werden allemaal persoonlijk ondervraagd. Het personeel van El Al, dat is de Israëlische vliegtuigmaatschappij, stelden ons allerlei vragen in het Engels: 'Kent u alle mensen van de groep?' 'Hoe lang kent u ze al?' 'Wat gaat u in Israël allemaal bezoeken?' 'Bent u er al vaker geweest?' 'Waar precies?' 'Hebt u uw koffer zelf ingepakt?' 'Hebt u uw koffer de laatste uren nog uit het oog verloren?'. Onze koffers moesten wel door drie scans. Met een laser kunnen ze dan de inhoud van de koffer bekijken."

Waarom wilden ze dat allemaal precies weten?
"Omdat ze bang zijn voor aanslagen. Bijvoorbeeld doordat iemand een bom meeneemt in het vliegtuig. De ruzie tussen sommige Joden en Palestijnen is best groot. Sommige Palestijnen zouden het liefst willen dat er een einde komt aan de staat Israël. Dat zou kunnen doordat Israël niet meer kan verdienen aan de toeristen, omdat de toeristen niet meer naar Israël durven uit angst voor

aanslagen. El Al wil natuurlijk juist zorgen dat de toeristen veilig aankomen in Israël. Ook ondervragen ze de reizigers omdat ze niet willen dat er mensen bij zitten die de Palestijnen willen helpen bij hun aanslagen."

Wat viel u het eerst op toen u in Tel Aviv aankwam?
"Het is een hele moderne stad, grote moderne gebouwen, luxe artikelen in de winkels."

Kunt u ook iets vertellen over de hotels?
"Er zijn Joodse hotels en Arabische hotels. Als je in een echt orthodox Joods hotel bent, dan merk je dat het hotel zich helemaal houdt aan hun geloofsregels. Er hangt bij Joodse hotels een Mezoeza aan de deur. Dit is een plat kokertje waarin de Joodse wet opgerold zit. Men houdt zich aan de Sabbat. Dat is op zaterdag. Dat betekent onder andere dat er niet gekookt wordt. Het eten van vrijdag wordt dus opgewarmd voor de volgende dag. De Arabische hotels kun je wel vergelijken met onze hotels."

Hoe zien de mensen in Israël eruit?
"De mensen in Israël hebben een iets getinte huidskleur. De orthodoxe Joden dragen lange zwarte kleding en een zwarte hoed en een baard. De Arabieren dragen lange jurken. Toch zijn er ook veel Joden en Arabieren die zich kleden zoals wij ons kleden."

Kun je iets merken van het geloof van de inwoners?
"Sommige Joden kleden zich helemaal in het zwart. Bij de klaagmuur zie je deze Joden bidden. Voor de mensen die geloven in de islam klinkt vijf keer per dag de minaret. Dat is een soort toren bij de moskee van waaruit iemand teksten uit de Koran voordraagt. Dat klinkt een beetje zangerig. Op vrijdagmiddag is het extra druk in Jeruzalem, omdat dan het vrijdagmiddaggebed van de moslims geweest is.
Aan de mensen die zich niet traditioneel kleden, merk je niet of ze bij een bepaalde godsdienst horen."

Tel Aviv.

Is het veilig om in Israël te zijn?
"Mijn ervaring is dat het voor toeristen veilig is wanneer zij in groepen zijn en met hun eigen bus reizen. Toeristen die gebruik maken van het openbaar vervoer moeten heel goed opletten. Dan lopen ze hetzelfde gevaar als de inwoners van Israël. Er bestaat altijd een kans dat er een aanslag gepleegd wordt. Als het al een hele tijd 'rustig' is in Israël (dat betekent dat er al een tijd geen aanslagen zijn gepleegd), dan merk je dat de toeristen wat vaker met het openbaar vervoer durven gaan."

Hoe is het eten in Israël?
"Het eten vond ik heel lekker! Vooral 'falafel'. Dat is een gevuld broodje met vegetarische balletjes en rauwkost en een sausje. In de hotels krijg je het eten zoals we dat in Nederland kennen: rijst, groenten, aardappels, vlees, vis, noem maar op. Weet je wat heel lekker is in de hotels? De toetjes! Dat zijn een soort kleine gebakjes.
De gelovige Joden en moslims eten beide geen varkensvlees. Op de markt in Israël zie je veel groenten en fruit."

Hoe leven kinderen van 12 jaar daar?
"Ik denk dat een Joodse jongen van deze leeftijd het beter heeft

dan een Palestijnse jongen, omdat ze vaak wat rijker zijn. Het ligt er een beetje aan waar de Palestijnse jongeren wonen, in sommige gebieden beleven ze heel sterk dat ze onderdrukt worden door de Joden, waardoor ze zich niet vrij voelen. Daar zijn die Palestijnse jongeren boos over. Je ziet ook wel eens op televisie dat deze jongeren met stenen gooien, uit boosheid."

Wat vindt u van het land?
"Ik vind Israël een prachtig land met een prachtige natuur. Alle landschappen kom je tegen; bosrijke gebieden, de woestijn, bergen, de kuststrook, de dode zee. Hele mooie bloemen en planten. De mensen zijn heel gastvrij. Als je iets wilt kopen op de markt, dan is de prijs eigenlijk altijd te duur. Dat doet de verkoper expres, waardoor je moet gaan afdingen. Je noemt een lager bedrag wat je ervoor wilt betalen, en de verkoper zegt dan meestal dat hij het niet eens is met die prijs. Hij vindt het wel goed dat je iets minder betaald, maar zo weinig.... En zo lijkt het wel een spelletje, de verkoper en jij noemen steeds bedragen totdat je het er samen over eens bent.
Wat me ook opviel, was dat je zoveel verschil ziet tussen arm en rijk. In Bethlehem zie je bijvoorbeeld bedelende jongetjes, maar je ziet ook mensen in dure auto's rondrijden."

Wat heeft het meeste indruk gemaakt op u?
"Het meer van Galilea en zoveel andere plaatsen die al zoveel eeuwen bestaan. Israël is een land waar je eigenlijk het gevoel hebt dat je 2000 jaar terug bent in de geschiedenis, omdat je in de Bijbel en andere geschiedenisboeken al over al die plaatsen leest. Wat ik heel indrukwekkend vond was Yad Vashem. Verschrikkelijk wat er in de oorlog gebeurd is! En wat hebben ze er een mooie gedenkplaats voor gemaakt."

Extra info en bronnen:

Hebreeuwse woordjes:

Boker tov	Goedemorgen
Lajla tov	Goedenacht
Bevàkasha	Alstublieft
Bira	Bier
Te	Thee
Jajin	Wijn
Sukar	Suiker

Internet

http://tovclub.nl/jodendom
Op deze site staan veel leuke plaatjes!
http://www.nos.nl/jeugdjournaal/uitleg/Israel/Israel_1
http://www.beleven.org/feesten/joden
http://www.voorbeginners.info/israel/geschiedenis-1
http://www.reisgraag.nl/vak-israel
http://www.travelmonkey.nl/midden-oosten/israel/natuur-klimaat
http://www.reizen.info/reis/midden_oosten/israel/klimaat_israel
http://www.encyclo.nl/begrip/keppeltje
http://israel.startpagina.nl
http://www.likud.nl/historie.html
http://www.wikepedia.nl
http://www.cidi.nl
http://www.natuurkunde.nl
http://www.bijbelsenamen.nl
(Hebben kinderen in jouw klas een naam uit de Bijbel, en wil je weten wat die naam betekent? Bekijk dan deze site!)

Boeken

Oudheusden, Jan van, De geschiedenis van het Midden-Oosten in een notendop (herziene druk 2007)(Bert Bakker).
ISBN 978-90-3513-143-9

Polak, Inez, Heilige strijd Israël-Palestina,
Trouw, 2001 (Trouw Dossier NL)
ISBN 90-4170-258-X

Prazdny, Bronja, Israël. KIT Publishers, 2001.
ISBN 90-6832-872-7

Reeds verschenen in de WWW-reeks:

Deel 15 Martin Luther King
Yono Severs
ISBN 978-90-76968-77-3

Deel 16 Tatoeages, Piercings en andere lichaamsversieringen
Connie Harkema
ISBN 978-90-76968-78-0

Deel 17 El Niño
Saskia Rossi
ISBN 978-90-76968-79-7

Deel 18 Coca-Cola
Ton Vingerhoets
ISBN 978-90-76968-71-1

Deel 19 Vandalisme
Ton Vingerhoets
ISBN 978-90-76968-72-8

Deel 20
Breakdance/Streetdance
ISBN 978-90-76968-84-1
NOG NIET VERSCHENEN!

Deel 21 Kindsoldaten
Carla Gielens
ISBN 978-90-76968-51-3

Deel 22 Doodstraf
Carla Gielens
ISBN 978-90-76968-50-6

Deel 23 De Spijkerbroek
Connie Harkema
ISBN 978-90-76968-85-8

Deel 24
CliniClowns
Yono Severs
ISBN 978-90-76968-84-1

Deel 25
Unicef
PaulineWesselink
ISBN 978-90-8660-005-2

Deel 26
Walt Disney
Jackie Broekhuijzen
ISBN 978-90-8660-006-9
NOG NIET VERSCHENEN!

Deel 27 De Berlijnse muur
Ton Vingerhoets
ISBN 978-90-8660-007-6

Deel 28 Bermuda driehoek
Ton Vingerhoets
ISBN 978-90-8660-008-3

Deel 29 Stripverhalen
Bert Meppelink
ISBN 978-90-8660-023-6
NOG NIET VERSCHENEN!

Deel 30 Formule 1
Ton Vingerhoets
ISBN 978-90-8660-024-3

Deel 31 Vuurwerk
Ton Vingerhoets
ISBN 978-90-8660-025-0

Deel 32 Graffiti
Nora Iburg
ISBN 978-90-8660-026-7
NOG NIET VERSCHENEN!

Deel 33 Vietnam-oorlog
Ton Vingerhoets
ISBN 978-90-8660-044-1

Deel 34 Kleurenblindheid
Carla Gielens
ISBN 978-90-8660-045-8
NOG NIET VERSCHENEN!

Deel 35 Artsen Zonder Grenzen
Pauline Wesselink
ISBN 978-90-8660-046-5

Deel 36 Loverboys
Yono Severs
ISBN 978-90-8660-047-2

Deel 37 Doping
Ep Meijer
ISBN 978-90-8660-048-9

DEEL 38 T/M 42 NOG NIET VERSCHENEN

Deel 43 Drugsverslaving
M. Gay-Balmaz en
M. Kooiman
ISBN 978-90-8660-075-5

Deel 44 Kinderarbeid
M. Kooiman en
M. Gay-Balmaz
ISBN 978-90-8660-076-2

Deel 45 Greenpeace
Rudy Schreijnders
ISBN 978-90-8660-087-8

Deel 46 Attractieparken/
pretparken
Christine Bruggink
ISBN 978-90-8660-088-5

WWW-TERRA

Deel 1 Indonesië
Saskia Rossi
ISBN 978-90-8660-009-0

Deel 2 Tibet
Esther Nederlof
ISBN 978-90-8660-010-6

Deel 3 Oostenrijk
Yono Severs
ISBN 978-90-8660-011-3

Deel 4 Friesland
Yono Severs
ISBN 978-90-8660-012-0

Deel 5 Canada
Pauline Wesselink
ISBN 978-90-8660-013-7

Deel 6 Suriname
Pauline Wesselink
ISBN 978-90-8660-027-4

Deel 7 Thailand
Yono Severs
ISBN 978-90-8660-028-1

Deel 8 Turkije
Yono Severs
ISBN 978-90-8660-029-8
NOG NIET VERSCHENEN!

Deel 9 De Wadden
Yono Severs
ISBN 978-90-8660-030-4

WWW-BEROEPEN

Deel 1A Werken in de sport: Topsport
Esther Nederlof
ISBN 90-76968-69-1

Deel 1B Werken in de sport: Recreatiesport
Petra Verkaik
ISBN 978-90-8660-018-2

Deel 2 De kraamverzorging
Carla Gielens
ISBN 90-76968-49-7

Deel 3 De kapster/kapper
Yono Severs
ISBN 90-76968-91-8

Deel 4 nog niet verschenen

Deel 5: Werken in de dierentuin
Suzanne Peters
ISBN 978-90-8660-040-3

WWW-SPORT, SPEL & DANS

Deel 1 Skateboarden
Dolores Brouwer
ISBN 978-90-8660-039-7

Deel 2 De geschiedenis van de Olympische Spelen
Saskia Rossi
ISBN 978-90-8660-061-8